# 夏承碑（華氏真賞齋本）

彩色放大本中國著名碑帖

孫寶文 編

君諱承字仲究東萊府君之孫大尉掾

之中子右中郎將弟也累葉牧守印紱

典據十有餘人皆德任其位名豐其爵

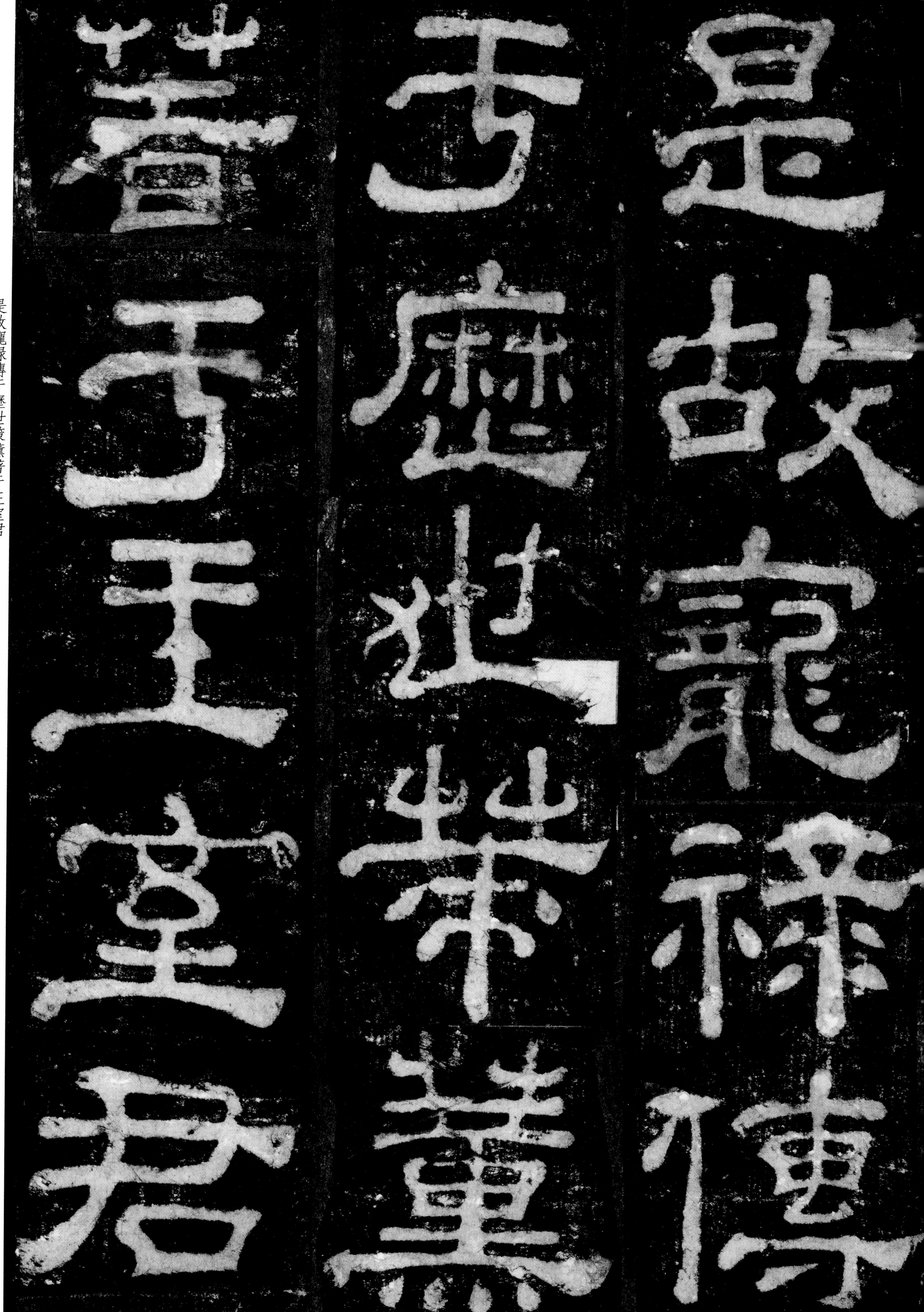


是故寵禄傳于歷世策薰著于王室君

鍾其美受性淵懿含和履仁治詩尚書

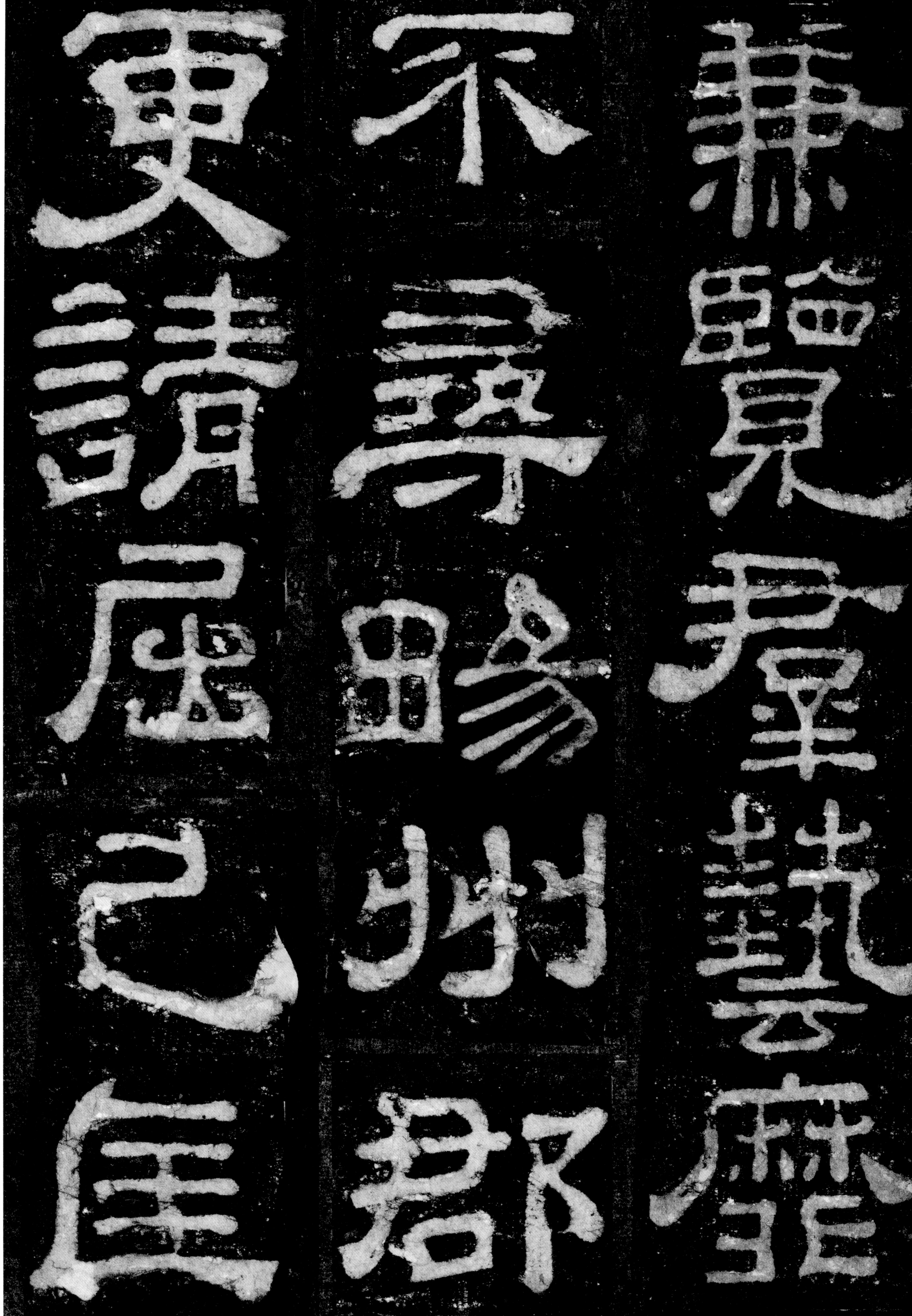


兼覽群藝靡不尋暢州郡更請屈己匡

君爲主簿督郵五官掾功曹上計掾守

令冀州從事所在執憲彈繩糾柱忠絜

令冀州從事所在執憲彈繩糾柱忠絜

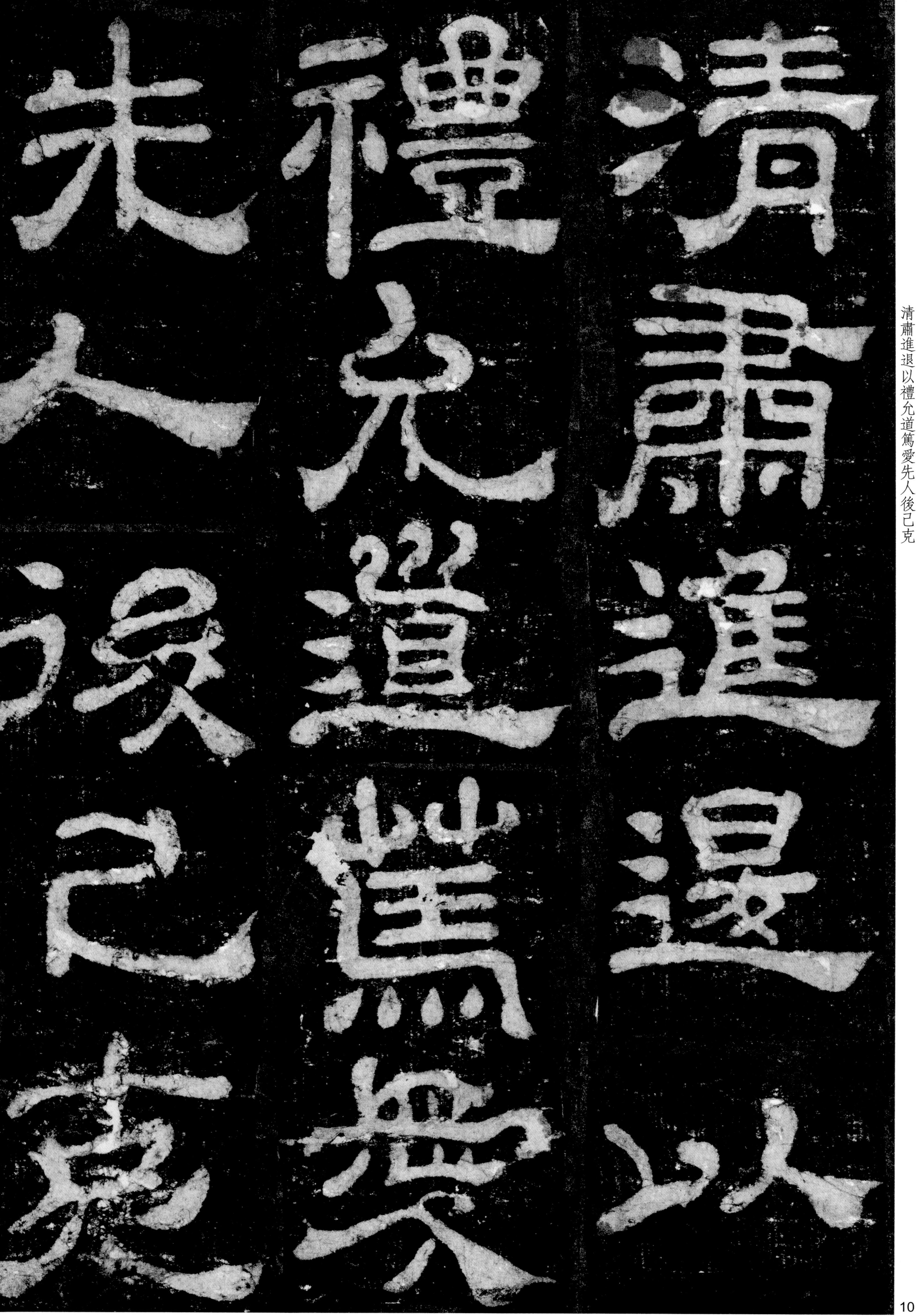

清肅進退以禮允道篤愛先人後己克

讓有終察孝不行大傅胡公歆其德美

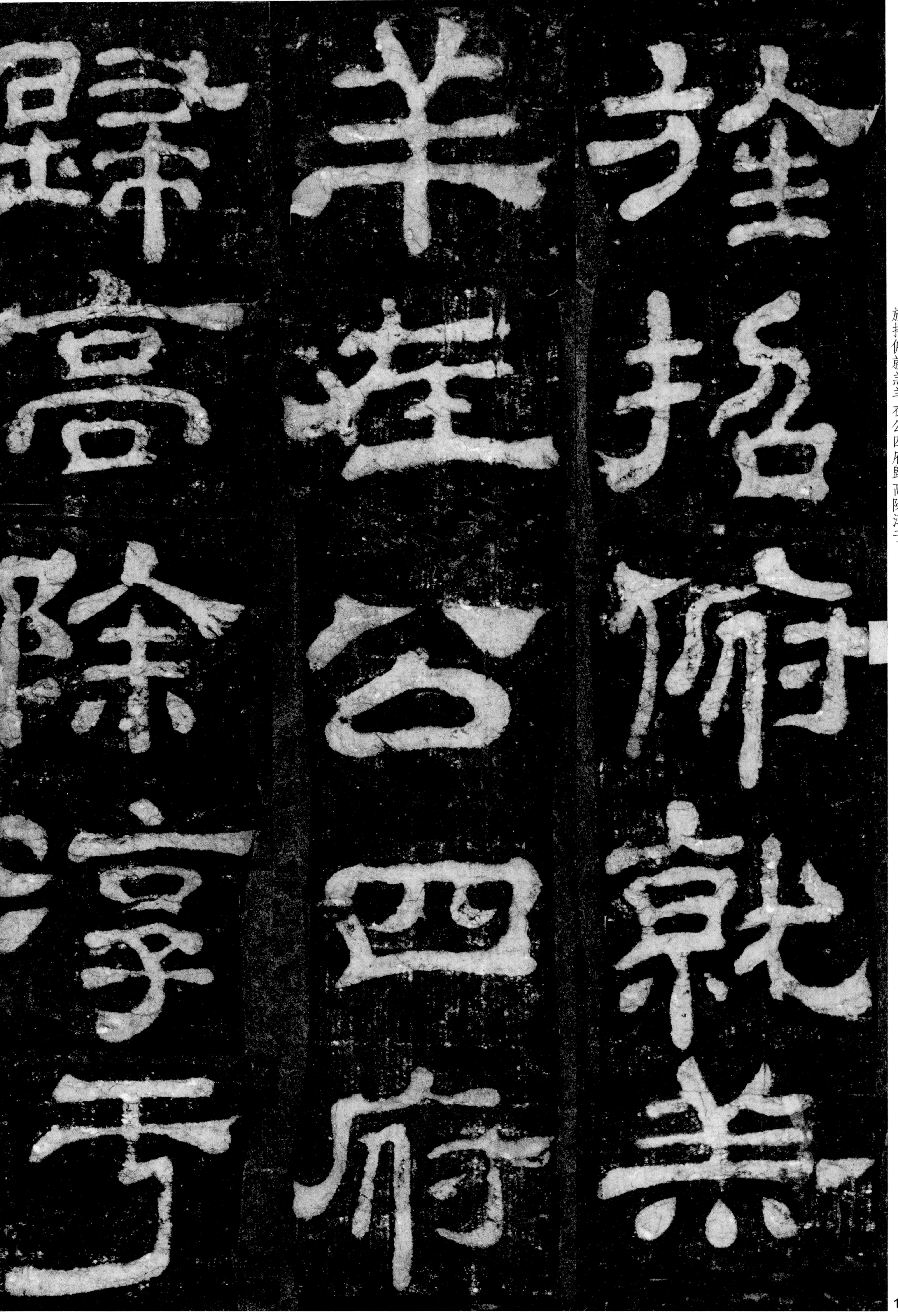

旌招俯就羔羊在公四府歸高除淳于

長到官正席流恩褒善糾奸示惡旬月

化行風俗改易轓軒六轡飛躍臨津不

日則月皓天
不吊殲此良
人年五十有

日則月皓天不吊殲此良人年五十有

六建寧三年六月癸巳淹疾卒官嗚呼

痛哉臣隸辟踴悲動左右百姓號咷若

痛哉臣隸辟踴悲動左右百姓號咷若

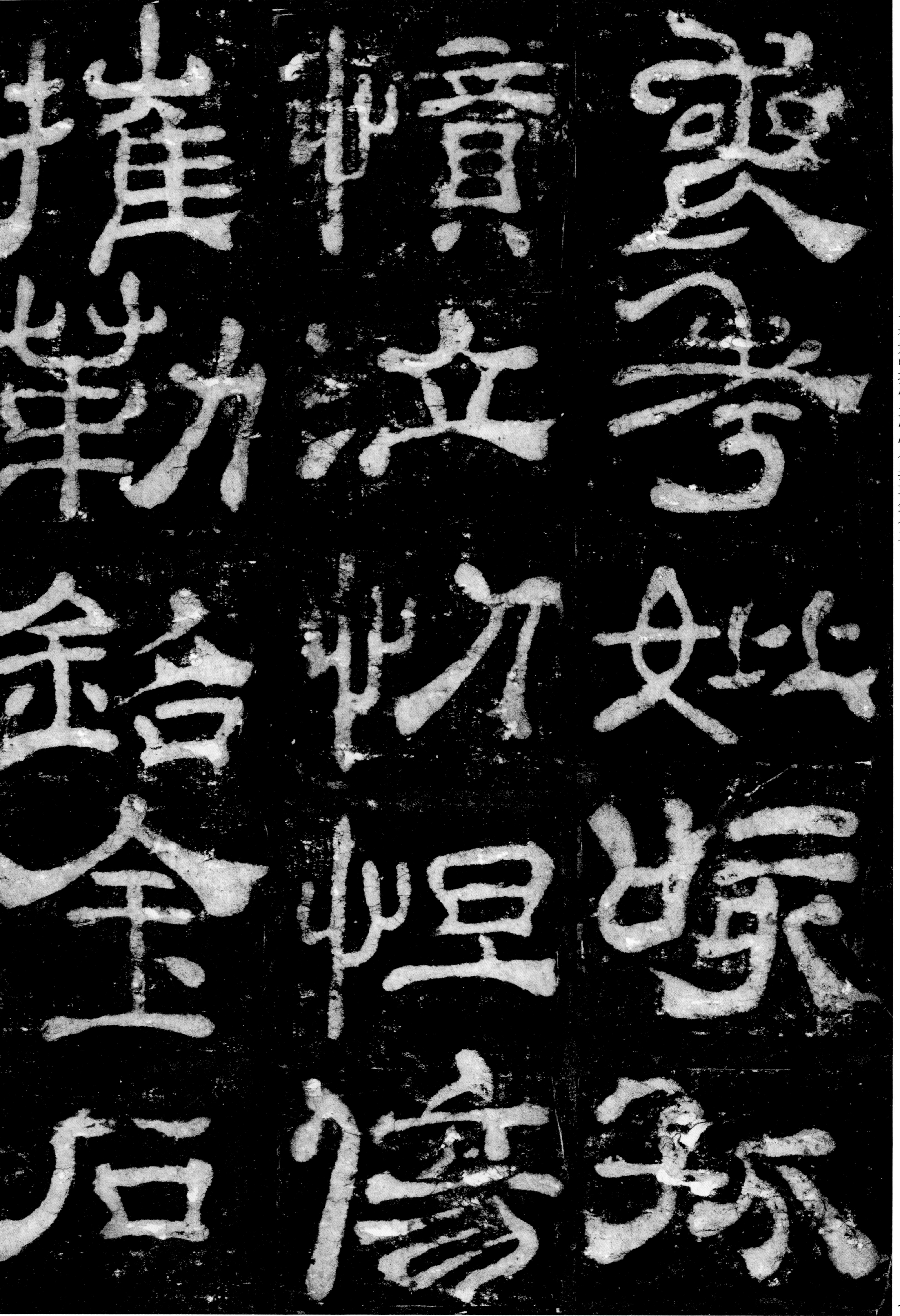

喪考妣咳孤憤泣忉怛傷摧勒銘金石

惟以告哀其辭曰於穆皇祖天挺

應期佐時理物紹縱先軌積德勤約燕

于孫子君之群戚並時繁祉明明君德

令問不已高山景行慕前賢列庶同如

蘭意願未止中遭冤夭不終其紀夙世

賨祚早喪懿寶抱器幽潛永歸蒿里痛